W9-DHW-192

Freiburg

Sachbuchverlag Karin Mader

Fotos:
Jost Schilgen
Foto Seite 30: Claire Jacob

Text:
Martina Wengierek

© Sachbuchverlag Karin Mader
D-28879 Grasberg

Grasberg 1997
Alle Rechte, auch auszugsweise, vorbehalten.

Übersetzungen:
Englisch: Tim Spence
Französisch: Mireille Patel

Printed in Germany

ISBN 3-921957-85-0

Das Werk, einschließlich aller seiner Teile, ist urheberrechtlich
geschützt. Konzeption, Gestaltung und Ausstattung wurden eigens
für diese Städtereihe entwickelt und unterliegen in der Einheit von
Format, Layout und Gliederung dem Schutz geistigen Eigentums
und dürfen weder kopiert noch nachgeahmt werden.

In dieser Serie sind erschienen:

Aschaffenburg	Erfurt	Krefeld	Der Rheingau
Baden-Baden	Essen	Das Lipperland	Rostock
Bad Oeynhausen	Flensburg	Lübeck	Rügen
Bad Pyrmont	Freiburg	Lüneburg	Die Küste –
Bochum	Fulda	Mainz	Schleswig-Holstein Ostsee
Bonn	Gießen	Mannheim	Schwerin
Braunschweig	Göttingen	Marburg	Siegen
Bremen	Hagen	Die Küste –	Stade
Bremerhaven	Hamburg	Mecklenburg-Vorpommern	Sylt
Buxtehude	Der Harz	Minden	Trier
Celle	Heidelberg	Mönchengladbach	Tübingen
Cuxhaven	Herrenhäuser Gärten	Münster	Ulm
Darmstadt	Hildesheim	Das Neckartal	Wiesbaden
Darmstadt und der Jugendstil	Kaiserslautern	Osnabrück	Wilhelmshaven
Duisburg	Karlsruhe	Die Küste – Ostfriesland	Wolfsburg
Die Eifel	Kiel	Paderborn	Würzburg
Eisenach	Koblenz	Recklinghausen	Wuppertal

Titelbild:
Neues Rathaus

tudenten und Wissenschaftler lieben sie ebenso wie Touristen und Kurgäste, Wandervögel schätzen die Stadt ebenso wie Kenner eines edlen Tropfens: Seit Freiburg im Breisgau im Jahre 120 von den Zähringer Herzögen gegründet wurde, übt es eine magische Anziehungskraft aus. Kein Wunder: Gleich um die Ecke warten Schwarzwald und Vogesen, vor der Haustür liegen Kaiserstuhl, Feldberg, Schauinsland und der Schluchsee.

Ihrer verkehrsgünstigen Lage am Handelsweg von Schwaben nach Burgund und die Nähe der Silbergruben verdankte die Stadt schon im Mittelalter ihren Wohlstand. Während zahlreiche kriegerische Ereignisse vom 16. bis 18. Jahrhundert keine größeren Schäden hinterließen, legten Fliegerbomben 1944 die gesamte Altstadt in Schutt und Asche. Verschont blieb nur das gotische Münster, bis heute Wahrzeichen der Stadt. „Steh unzerstörbar, herrlich im Gemüte, du großer Beter glaubensmächtiger Zeit": Diese Zeilen hatte einst Reinhold Schneider geradezu flehend dem stolzen Turm seines geliebten Münsters gewidmet – zehn Monate vor dem Bombenangriff. Heute ist sein Gedicht auf dem neuen Schlußstein des Gewölbes über der Glockenstube zu finden.

Nach gelungenem Wiederaufbau versprüht die Universitätsstadt erfolgreich historischen Charme. Doch nicht nur der Fremdenverkehr sorgt für wirtschaftlichen Auftrieb: Das Behörden- und Verwaltungszentrum Südbadens ist eines der bedeutendsten Weinbaugroßstädte der Republik, Sitz von fünf Fraunhofer- und zwei Max-Planck-Forschungsinstituten, Standort mehrerer Großdruckereien und Verlage und verfügt im pharmazeutischen sowie im medizin- und elektrotechnischen Bereich über eine aufstrebende Industrie. Für rund 200 000 Freiburger steht heute fest: Hier läßt sich's leben. Die triftigsten Gründe dafür haben wir in Bildern eingefangen.

Students and academics love the city, as do the tourists and spa guests; migratory birds appreciate it, and so do connoisseurs of fine wines and spirits. Freiburg im Breisgau has exerted a magical attraction ever since it was founded in 1120 by the Dukes of Zähringen. And no wonder – the Black Forest and the Vosges mountains are close by, while the Kaiserstuhl hills, Feldberg, Schauinsland and Schluchsee are all in the immediate vicinity.

The city owed its prosperity even in the Middle Ages to its favorable position on the trade route between Swabia and Burgundy and its proximity to the silver mines. After surviving numerous wars from the 16th to the 18th centuries without major damage, the entire Old Quarter was razed to the ground in 1944. The only building to remain standing was the magnificent Gothic cathedral, to this day the city's landmark. „Remain so indestructible, splendid of countenance, thou great praying edifice from that mighty Age of Belief" – imploring words dedicated by Reinhold Schneider to the proud tower ten months before the fateful air raid. The words of his poem are now engraved on the new keystone over the belfry.

Reconstruction has long been completed, giving way to present-day success: the university town is now bubbling over with historical charm. Its economic growth is based not just on tourism, however - as administrative and organizational center for the South Baden region, Freiburg is also one of the major wine-growing cities in Germany, home to five Fraunhofer and two Max Planck Research Centers, location for several major printing works and publishing houses, and boasts dynamic companies in the pharmaceutical, medical and electrical engineering sectors. Around 200,000 inhabitants of Freiburg are certain of one thing - it's a very liveable place! The pictures in this book will give you an idea why this is so.

Etudiants et savants, touristes et curistes, grands voyageurs et amateurs de bons crus, tous aiment et apprécient cette ville: depuis que Fribourg en Breisgau fut fondée en 1120, elle exerce sur tous une attirance magique. Rien d'étonnant à ceci, la Forêt Noire et les Vosges sont toutes proches et le Kaiserstuhl, le Feldberg, le Schauinsland et le lac de Schluchsee se trouvent, pour ainsi dire, à domicile.

Dès le Moyen Age la ville dut sa prospérité à sa situation avantageuse sur une voie commerciale allant de la Souabe à la Bourgogne et à la proximité des mines d'argent. Tandis que les différents épisodes guerriers des 16,17 et 18e siècles ne causèrent à la ville que des dommages mineurs, les bombardements de 1944 réduisirent la vieille ville à un champ de ruines. Seule la cathédrale, restée jusqu'à nos jours l'emblème de la ville, fut épargnée. «Dresse-toi indestructible, toi, à l'âme merveilleuse, grand prieur issu d'un temps à la foi puissante». Reinhold Schneider avait dédié ces lignes presque suppliantes au fier clocher de sa cathédrale adorée – dix mois avant le bombardement. Ce poème se trouve maintenant sur la nouvelle clef de voûte au-dessus des cloches.

La reconstruction de la ville universitaire est un succès et elle dispense à nouveau son charme historique. Le tourisme, cependant, n'est pas le seul facteur de croissance économique: ce centre administratif du pays de Bade méridional est l'une des grandes villes viticoles de la République, le siège de cinq organismes de recherche Fraunhofer et de deux instituts Max-Planck, le lieu d'implantation de plusieurs grandes imprimeries, de maisons d'éditions et d'industries en plein essor dans le domaine de la pharmacie, de la médecine et de l'électrotechnique. Pour les quelques 200000 habitants de Fribourg une chose est certaine: il fait bon vivre ici. Les raisons les plus évidentes sont illustrées par les images de ce livre.

Altstadt der Neuzeit

Das Kornhaus am Münsterplatz, einst Lager- und Festort zugleich, wurde 1970 nach alten Plänen aus dem 15. Jahrhundert wiedererrichtet. Der Fischbrunnen sprudelt seit 1970. Er ist eine Kopie des 1483 vom Meister Hans von Basel entworfenen Originals.

The Kornhaus on Münsterplatz, once a warehouse that also functioned as a place for festivities, was rebuilt in 1970 according to original plans dating from the 15th century. The Fischbrunnen fountain, a copy of the original designed in 1483 by Meister Hans von Basel, has been flowing since 1970.

La Kornhaus (halle aux blés) sur la Münsterplatz, jadis à la fois entrepôt et forteresse, fut reconstruite en 1970 d'après de vieux plans du 15e siècle. L'eau jaillit pour la première fois dans la fontaine aux Poissons en 1970. C'est la copie d'un original conçu en 1483 par le maître d'oeuvre, Hans von Basel.

Das Kaufhaus (vorn), ein prächtiger Renaissancebau von 1532, glänzt mit einer schmuckreichen, teilweise vergoldeten Fassade, bunt glasierten Ziegeln und ausladenden Arkaden. Innenhof und Festsaal dienen heute als malerische Kulisse für Konzerte. Gleich nebenan schuf sich 1761 Barock-Bildhauer Johann Christian Wentzinger ein imposantes Wohn- und Atelierhaus – heute die Adresse vom Museum für Stadtgeschichte und Kulturamt.

The Kaufhaus (front), a magnificent example of Renaissance architecture completed in 1532, has an elaborately decorated and partly gilded facade, with coloured glazed bricks and projecting arcades. The inner courtyard and banqueting hall are used today as a picturesque venue for concerts. In the neighboring building, Johann Christian Wentzinger, the baroque sculptor, created an impressive residence and artist's studio in 1761 – today the address of the Museum for Urban History and the Department of Cultural Affairs.

La Kaufhaus (devant) est un magnifique édifice Renaissance de 1532. Il resplendit véritablement avec sa façade richement ornée de motifs parfois dorés, ses tuiles vernissées et ses attrayantes arcades. Des concerts ont lieu dans le cadre fort pittoresque de la cour intérieure et de la salle des fêtes. Juste à côté, le sculpteur baroque Johann Christian Wentzinger construisit son imposante demeure dotée d'un atelier. Elle accueille aujourd'hui le département de la Culture et le musée d'Histoire Municipale.

Wo heute jeden Vormittag Markttreiben herrscht, begruben die Freiburger im Mittelalter ihre Toten. Noch bis 1785 war der Platz von einer Mauer umgeben. Die bunten Stände stehen im Schatten des ehemaligen Ständehauses der Breisgauer Ritterschaft aus dem 18. Jahrhundert, das seit 1832 als Erzbischöfliches Palais dient.

Freiburg's marketplace, where today you can experience the hustle and bustle every morning, was where the people of Freiburg used to bury their dead in the Middle Ages. Until 1785, the square was surrounded by a wall. The gaily-colored market stands are in the shadow of the old 18th-century assembly house of the Breisgau knighthood, since 1832 the palace of the Archbishop.

A présent le marché donne lieu, chaque matin, à une activité intense mais, au Moyen Age se trouvait ici un cimetière et, jusqu' en 1785, cette place était encore entourée d'un mur. Les étaux multicolores sont installés à l'ombre de l'ancien palais des états des chevaliers de Breisgau du 18e siècle. Il est devenu palais épiscopal en 1832.

n alten Stadtkern geht's beschaulich zu – allerings nicht immer: Am Rosenmontag zum Beiiel tanzen alemannische Masken durch die assen, im Sommer wird er zur Bühne fürs einfest und die Straßenausstellung „Kunst in er Oberen Altstadt".

he old city center is usually a tranquil place to e – but not always. On Rosenmontag (the day efore Lent), for example, Alemmanic masks ance through the narrow streets and alleyways, hile in summer it is the stage for the Wine estival and the street exhibition entitled "Art in ie Upper Old Quarter".

ne atmosphère paisible règne dans le vieux entre-ville. Ce n'est pas toujours le cas, ependant: la veille du Mardi gras, par exemple, es personnages masqués alémaniques aversent les ruelles en dansant. En été ce uartier accueille la fête du Vin, et l'exposition e rue «l'Art dans la Vieille Ville Haute».

Zu den Schmuckstücken der Herrenstraße zählt das „Haus zum Goldenen Stauf" (links), das 1579 für einen Basler Weihbischof gebaut wurde. Der vermutlich älteste Gasthof Deutschlands hat die Stürme der Zeit in Oberlinden überdauert: Die ununterbrochene Wirteliste des Hotels „Bären" ist seit 1311 belegt.

One of the jewels of Herrenstraße is the "Haus zum Goldenen Stauf" (left), which was built in 1579 for a suffragan bishop from Basle. The "Bären" hotel in Oberlinden is perhaps the oldest inn in Germany and has survived many a stormy era – the list of innkeepers goes back without a break to the year 1311.

La maison «zum Goldenen Stauf» (à gauche), construite en 1579 pour un évêque coadjuteur, est l'un des bijoux de la Herrenstraße. L'auberge «Bären» à Oberlinden est probablement la plus ancienne auberge d'Allemagne. La liste ininterrompue de ses patrons, depuis 1311, est parvenue jusqu'à nous.

Das schönste spätgotische Haus Freiburgs in der Franziskanergasse blickt auf eine bewegte Geschichte zurück. Angeblich sollte das „Haus zum Walfisch" aus dem Jahre 1516 Maximilian I. als Altersruhesitz dienen. Doch schon drei Jahre später starb der Kaiser. Von 1529-31 bezog der Humanist und Theologe Erasmus von Rotterdam hier Quartier.

Freiburg's most beautiful Late Gothic building, in Franziskanergasse, can look back on a rich history. The "House of the Whale", built in 1516, was supposed to serve Kaiser Maximilian I in his retirement, but he died three years later. Erasmus of Rotterdam, the humanist and theologian, lived here from 1529-31.

Dans la Franziskanergasse, la maison «de la Baleine», la plus belle demeure de style gothique tardif de Fribourg, eut une histoire mouvementée. Elle aurait été construite pour servir de maison de vieillesse à Maximilian Ier. L'empereur, cependant, n'avait plus que trois ans à vivre. Elle fut habitée par l'humaniste et théologue Erasme de Rotterdam de 1529 à 1531.

ichts ist für Kinder verlockender als an einem
eißen Sommertag in einem der Bächle herum-
waten, die seit Jahrhunderten durch die Stra-
en der Altstadt strömen. Das kilometerlange,
erzweigte Kanalsystem diente einst als Brand-
hutz und Viehtränke. Das Wasser stammt aus
nem Dreisam-Arm.

Nothing is more enticing for children than to
paddle around on a hot summer's day in one of
the "Bächle" that have been flowing for
centuries through the streets of the Old Quarter.
This network of canals, totaling several
kilometers in length, once provided water for
cattle and as protection against fire. The water
comes originally from the River Dreisam.

Rien de plus tentant pour les enfants, par une
chaude journée d'été, que de patauger dans l'un
des «Bächle» qui, depuis bien des siècles, coulent
dans les rues de la vieille ville. Ce système de
caniveaux ouverts, long de plusieurs kilomètres,
servait jadis à abreuver les animaux et à éteindre
les incendies. L'eau provient d'un bras du
Dreisam.

Sieben Bürgerhäuser brauchte es, um daraus eine würdige Residenz für den kaiserlichen Kanzler Stürzel von Buchheim zu machen. So entstand durch geschickten Umbau zu Beginn des 16. Jahrhunderts der Basler Hof (oben). Im heutigen Regierungspräsidium fand das Basler Domkapitel Zuflucht vor den Wirren der Reformation. 1559 wurde das Alte Rathaus (rechts) fertiggestellt.

Seven houses were needed to build a princely residence for Chancellor Stürzel von Buchheim. At the beginning of the 16th century, the "Basler Hof" (above) was created by skilful conversion of the existing buildings. It now houses the Regional Commission. The chapter of Basle cathedral once sought refuge here from the turmoil of the Reformation. In 1559, the Old Town Hall was completed (right).

IL fallut réunir sept maisons pour constituer une demeure digne du chancelier impérial Stürzel von Buchheim. C'est ainsi que, grâce à d'habiles transformations, le Basler Hof (ci-dessus) fut réalisé au début du 16e siècle. Il servit de refuge au chapitre de la cathédrale de Bâle pendant les temps troublés de la Réforme et accueille à présent la Commission Régionale. Le Viel Hôtel de ville (à droite) fut complété en 1559.

Um 1380 taucht in der Chronik ein Mönch namens Berthold der Schwarze auf. Er habe, so ist vermerkt, die „chunst aus püchsen zu schyessen" verbessert. Tatsächlich hält sich hartnäckig die Legende, daß der Franziskaner in Freiburg das Schießpulver und Feuerwaffen erfunden habe und dafür um 1388 zum Tode verurteilt worden sein soll. Historiker sind skeptisch, aber Bertholds Standbild darf trotzdem den Rathausplatz schmücken.

Around 1380, the name of a monk by the name of Berthold the Black appears in the city chronicles, where it is stated that he improved "the art of shooting from muskets". The rather tenacious legend claims that the Franciscan monk discovered gunpowder and firearms in Freiburg and was sentenced to death for this crime in 1388. Historians may be more skeptical, but Berthold's statue is still allowed to adorn the Town Hall square.

En 1380, un moine du nom de Berthold le Noir apparaît dans les chroniques. Il a amélioré, écrit-on, «l'art de tirer avec les mousquets». De fait, la légende qui veut que ce franciscain de Fribourg ait inventé la poudre et les armes à feu et ait été condamné à mort pour cela en 1388, a la vie dure. Les historiens sont sceptiques mais la statue de Berthold se dresse quand même sur la place de l'hôtel de ville.

Im Süden der Stadt wird die „Große Gaß" vom Martinstor begrenzt, eines der Überreste der Stadtbefestigung aus dem 13. Jahrhundert. Seine Umgebung ist von stattlichen Gebäuden aus der Zeit um 1900 geprägt.

The "Große Gaß" in the southern part of the city ends at the Martinstor, one of the remnants of the 13th century fortifications. The surrounding area features many impressive buildings from around 1900.

Au sud de la ville, la «Große Gaß» débouche sur la porte Martinstor, un vestige des fortifications du 13e siècle. Tout autour ce sont les immeubles 1900 qui caractérisent les lieux.

Ein Bombenangriff legte die Altstadt 1944 in Schutt und Asche. Vom Wiederbau-Eifer zeugen unter anderem das frühklassizistische Palais Sickingen von 1772 (links) und der einstige Deutschordenpalais von 1768 mit seinem barocken Puttenportal von Joseph Hörr. Nachdem das Gebäude jahrzehntelang ein Ruinendasein fristete, erstand es Mitte der 80er Jahre wieder in alter Pracht.

In 1944, an air raid reduced the Old Quarter to ruins. The fervor of reconstruction is evidenced in the early classical "Palais Sickingen", completed in 1772 (left), and the former Teutonic Order palace built in 1768, with its Baroque putto portal by Joseph Hörr. After falling into decay for decades, it was restored in the mid-1980s to its former glory.

En 1944 un bombardement réduisit la vieille ville à un champ de ruines mais sa reconstruction est effectuée avec beaucoup de zèle, ce dont témoignent, entre autres, le palais de Sickingen de 1772, de style classique commençant (à gauche) et l'ancien palais de l'Ordre Teutonique de 1768 avec son portail baroque orné d'angelots, oeuvre de Joseph Hörr. Après être resté en ruine pendant plusieurs décades, cet édifice fut reconstruit dans toute sa splendeur dans le milieu des années 80.

Geschichte auf Schritt und Tritt: Gleich hinter dem Augustinerplatz (Foto) liegt die Schnecken-vorstadt. Dieses mittelalterliche Gewerbegebiet wurde als einzige Stadterweiterung des 13. Jahr-hunderts in die Festung der Barockzeit einbezo-gen, nachdem die Stadt unter Ludwig XIV. fran-zösisch geworden war.

History every step of the way: right behind Augustinerplatz (photo), the "Schneckenvor-stadt". This medieval center of the craft trades was the only extension to the city that was included in the citadel of the baroque age after the city became French under Louis XIV.

De l'histoire à chaque pas: juste derrière l'Augu stinerplatz (photo) se trouve Schneckenvorstadt le quartier des artisans au Moyen Age. Ce fut la seule extension de la ville du 13e siècle à être incluse à l'intérieur des fortifications de l'époqu baroque, après que la ville fut devenue française sous Louis XIV.

Hier läßt sich herrlich verweilen, plauschen, bummeln – die Fischerau überrascht mit geradezu venezianischen Momenten. In diesem romantischen Winkel hatten früher die Flußfischer ihre Wohnhäuser.

The "Fischerau", an area surprisingly reminiscent of Venice, is a wonderful place to while away the time, to chat and stroll. This romantic corner was where the river fishermen used to have their houses.

Comme il fait bon s'attarder ici, flâner, causer un peu!. La Fischerau a des airs vénitiens qui surprennent. Jadis les pêcheurs du fleuve habitaient dans ces lieux romantiques.

Sobald man über eine kleine Brücke bei der Ölmühle den Gewerbekanal überquert, gelangt man zur „Insel" mit vorzüglich restaurierten historischen Bauten (links). In der Konviktstraße drängen sich Wohnhäuser, Kneipen, kleine Handwerksbetriebe und Läden – ein preisgekröntes Sanierungsprojekt. Grüne Akzente werden groß geschrieben: Das Blattwerk von Glyzinien schwingt sich als Girlande von einer Fassade zur anderen.

When you cross over the little bridge over the "Gewerbekanal" beside the „oil mill", you come to the "island" and its exquisitely restored historical buildings (left). Houses, pubs, small craft shops and stores are squeezed together in Konviktstraße – a prize-winning urban renewal project. Greenery abounds - garlands of wisteria hangs from one facade to the next.

A la sortie du petit pont qui traverse le Gewerbekanal près du moulin à huile, l'on arrive sur l'«Insel» dont les bâtiments historiques ont été admirablement restaurés (à gauche). Dans la Konviktstraße les maisons d'habitation, les bistrots, les petits ateliers d'artisans et les magasins se pressent les uns contre les autres – un projet d'assainissement primé. Les touches de verdure y sont à l'honneur: les feuillages des glycines, tels des guirlandes, s'élancent d'une façade à l'autre.

Den Turm des Schwabentores schmückt seit dem 17. Jahrhundert das Bild eines schwäbischen Salzkaufmanns. Unten rattert die Stadtbahn, oben marschieren die Zinnfiguren: Artur-Andreas Lehmann hat mit ihnen u. a. Szenen aus dem Bauernkrieg der Jahre 1524/25 nachgestellt, die der Gründer dieses kleinen Museums zum Teil selbst gefertigt hat.

The Schwabentor tower has borne the portrait of a Swabian salt merchant since the 17th century. Down below, the tram rattles through, while up above the pewter figures march. Artur-Andreas Lehmann, the founder of this little museum and maker of the figures, has created scenes depicting, for example, the Peasant War in 1524/25.

La tour de la porte de Souabe est ornée du portrait d'un marchand de sel souabe datant 17e siècle. En bas grince le tram municipal, en haut défilent les personnages de zinc: ils représentent des scènes de la guerre des Paysans de 1524/25 et on été confectionnés, en partie, par Artur-Andreas Lehmann, le fondateur de ce petit musée.

ür die Dreisam ist Freiburg im Breisgau (hier
it Schwabentorbrücke) nur eine Zwischensta-
on. Der Fluß entsteht aus mehreren Schwarz-
aldbächen nördlich des Feldbergs und mündet
ach 60 Kilometern bei Riegel in die Elz.

For the River Dreisam, Freiburg im Breisgau
(the picture shows the Schwabentor bridge) is
just a point along the route. The river is formed
by several Black Forest streams to the north of
Feldberg, and after 60 kilometers flows into the
River Elz near Riegel.

Pour la Dreisam, Fribourg en Breisgau (ici le
pont de Schwabentor) n'est qu'une station
intermédiaire. Cette rivière, alimentée par
plusieurs ruisseaux de la Forêt Noire, se forme
au nord du mont Feldberg. Elle se jette 60
kilomètres plus loin, dans l'Elz, près de Riegel.

Versteckte Kostbarkeiten

Hinter diesem Fachwerk aus dem 16. Jahrhundert arbeiteten Steinmetze am Erhalt des Münsters. Ein krisensicherer Job: Erst Ende 1981 war nach fast 20jährigen Sanierungsarbeiten das Gerüst am sogenannten „schönsten Turm der Christenheit" gefallen. Zahlreiche durch Erosion geschädigte Plastiken wurden durch originalgetreue Kopien aus der Münsterbauhütte ersetzt.

Behind this half-timbered facade dating back to the 16th century, stonemasons used to work on maintaining the cathedral - a secure job in any case. After nearly 20 years of restoration work, the scaffolding around the „most beautiful tower in Christendom" finally came down in 1981. Many statues that had been damaged by erosion were replaced with faithful copies made by the cathedral masons.

Les tailleurs de pierre travaillaient à l'entretien de la cathédrale derrière ces colombages du 16e siècle. Un boulot à l'épreuve des crises: Ce n'est qu'à la fin de 1981, après un travail de près de 20 ans, que l'échafaudage de la «plus belle tour de la chrétienté» fut enlevé. De nombreuses sculptures, endommagées par l'érosion, furent remplacées par des copies conformes aux originaux, réalisées dans l'atelier de construction de la cathédrale.

Das Freiburger Pflaster hat's in sich. Ob Stiefel vor dem Schusterladen, Äskulapstab vor der Apotheke oder Brezel vor dem Bäcker – schon Mitte des 19. Jahrhunderts wiesen diese Mosaiken der Kundschaft den Weg. Der Handwerker Aloys Krems hatte solche Straßenbilder in einem Städtchen im französischen Rhônetal entdeckt und in seiner Heimatstadt eingeführt.

The streets of Freiburg have got just about everything Boots outside the cobbler's shop, Aesculapian staff outside the pharmacy, or brezels outside the baker's have been pointing the way to customers since the mid-19th century. Aloys Krems, a local craftsman, discovered similar street pictures in a small town in the Rhône Valley and brought the idea back to his home town.

Les rues de Fribourg ont beaucoup à offrir, qu'il s'agisse d'une botte devant la boutique d'un cordonnier, d'un caducée devant la pharmacie, ou d'un «Brezel» devant la boulangerie. Déjà au 19e siècle ces mosaïques montraient le chemin aux clients. L'artisan Aloys Krems avait découvert ces images des rues dans une petite ville française de la vallée du Rhône et les avait introduites dans sa ville natale.

Auch ohne die ursprüngliche Fassadenmalerei ein Schmuckstück: das Alte Rathaus mit seinem Zinnengiebel, das im Krieg bis auf die Umfassungsmauern und wenige Innenräume ausbrannte und in den 50er Jahren wiederaufgebaut wurde. Durch einen Portalbogen erreicht man die alte Gerichtslaube, in der 1498 der Reichstag seine Sitzungen abhielt.

An architectural gem, even without the original facade painting, is the Old Town Hall with its pewter gable. It was burnt down to the outer walls and a few rooms during the war and restored in the 1950s. The old "Gerichtslaube" is reached through a portal archway, in which the Reichstag (Imperial Diet) was held in 1498.

C'est un bijou, même sans la peinture qui ornait sa façade à l'origine: le Vieil Hôtel de Ville avec son pignon crénelé. Il brûla pendant la guerre à l'exception des murs d'enceinte et de quelques pièces de l'intérieur mais il fut reconstruit dans les années 50. Un portail en arceau mène à la vieille «Gerichtslaube» dans laquelle siégea la Diète de l'Empire en 1498.

Als die Tochter von Kaiserin Maria Theresia, die spätere französische Königin Marie Antoinette, 1770 auf ihrem Brautzug nach Freiburg kam, mußten alle Häuser weiß getüncht werden. Wie gut, daß sie den Freiburgern ihre Liebe zu Farbenpracht und Schmuck am Bau nicht abgewöhnen konnte. So manche liebevollen Details liefern den Beweis.

When Marie Antoinette, the daughter of Empress Maria Theresia who later became the queen of France, came to Freiburg on her bridal procession, the people of Freiburg had to whitewash all their houses. What a good thing that this did nothing to lessen their penchant for gaily painted and decorated buildings, as demonstrated today by the loving detail on many a facade.

Lorsque le cortège nuptial de Marie-Antoinette, fille de l'impératrice Marie-Thérèse et future reine de France passa par Strasbourg, toutes les maisons durent être peintes en blanc. Heureusement, ceci n'enleva pas aux habitants le goût de la couleur et de la décoration en architecture, comme de nombreux détails le prouvent.

Brückenschläge zur Moderne

Der Stolz Freiburgs ist seit 1996 ein multifunktionales Konzerthaus, das sich nach Angaben seines Berliner Architekten Dietrich Bangert als „Stadt in der Stadt" versteht. Den Baustil feierten Kritiker als richtungsweisend für das nächste Jahrtausend. Der Große Saal wartet mit variabler Technik statt einer festen Bühne auf; ein raffiniertes Spindelsystem kann den Boden im Nu in ein Audimax oder eine Tribünenlandschaft verwandeln.

The pride of Freiburg since 1996 is a multifunctional concert hall conceived of, in the words of its creator, the Berlin architect Dietrich Bangert, as "a city within a city". The pioneering architectural style is celebrated by critics as pointing the way into the next millenium. Instead of a fixed stage, the main hall has variable elements that a sophisticated spindle system can transform in no time at all into a large auditorium or a landscape of smaller stages.

Un salle de concerts multifonctionnelle, construite en 1996, fait toute la fierté de Fribourg. Elle fut conçue par l'architecte berlinois Dietrich Bangert qui voulait en faire une «ville dans une ville». Les critiques en louèrent le style, le déclarant précurseur du prochain millénaire. La Grande Salle n'a pas de scène fixe car la technique lui permet bien des métamorphose: en un clin d'oeil, un ingénieux système de pivots peut transformer le plancher en au auditorium ou un paysage de tribunes.

er eine geht, der andere kommt: Zwei „Gold-
ngen" schlendern seit 1990 im Innenhof anein-
nder vorbei. „Begegnung im Kreis" nannte der
reiburger Bildhauer Walter Diederichs das
ronze-Duo im Innenhof des neuen Landrats-
ntes.

One comes, the other goes: two "golden boys"
have been strolling past each other here since
1990. "Circular Encounter" was the name given
to the two bronze sculptures in the inner
courtyard of the new Rural District Office by
Walter Diederichs, a sculptor from Freiburg.

L'un s'en va, l'autre arrive: deux beaux
adolescents se croisent nonchalamment dans la
cour intérieure du nouveau bureau du sous-
préfet. Le sculpteur de Fribourg Walter
Diederichs nomma ce duo de bronze «rencontre
circulaire». Il date de 1996.

Als der Karlsbau am Stadtgarten 1969 eröffnet wurde, machte das Wort vom „Klotz" die Runde. Inzwischen haben sich die Freiburger mit dem Komplex von Geschäften, Büros, Hotel und Kongreßhaus versöhnt: Nach Umbau und Modernisierung entstand Anfang der 90er Jahre ein attraktiver Magnet für Großveranstaltungen.

When the "Karlsbau am Stadtgarten" was opened in 1969, the people of Freiburg were rather denigrating at first. In the meantime, they have reconciled themselves with this modern complex containing shops, offices, a hotel and a congress center. Modernized in the early 1990s, it now attracts the crowds to major cultural and other events as well.

Lorsque le «Karlsbau am Stadtgarten» fut mis e service en 1969 l'appelation de «bloc mal dégrossi» se fit entendre mais les habitants de Fribourg se sont réconciliés avec ce complexe d magasins, de bureaux, d'hôtels et de salles de congrès: Ayant été transformé et modernisé au début des années 90, il devint un véritable aimant pour les grands événements artistiques ou de société.

Die Universität wurde 1457 von Erzherzog Albrecht VI. gestiftet. Zu Ehren ihres späteren Förderers Großherzog Ludwig von Baden nahm e zu Beginn des 19. Jahrhunderts ihren jetzi-en Namen Albert-Ludwigs-Universität an. und 23000 Studenten und Studentinnen estimmen heute das quirlige Leben auf dem Campus.

The university was founded in 1457 by Archduke Albrecht VI. In honor of its later patron, the Grand Duke of Baden, it was renamed Albert Ludwig University in the early 19th century. The university now has about 23,000 students, so life on the campus is more than lively!

L'université fut fondée en 1457 par l'archiduc Albrecht VI. Au début du 19e siècle, elle reçut le nom d'université Albert-Ludwig en l'honneur d'un autre protecteur: le grand-duc Ludwig von Baden. Près de 23000 étudiants et étudiantes la fréquentent, ce qui cause bien de l'animation sur le campus.

Homer und Aristoteles flankieren den Eingang zum Kollegiengebäude I, einem Jugendstilbau aus dem Jahre 1909. In Freiburg lehrten berühmte Persönlichkeiten wie zum Beispiel der Staatswissenschaftler Heinrich von Treitschke, der Philosoph Martin Heidegger oder der Historiker Gerhard Ritter.

Homer and Aristotle stand either side of the entrance to "Kollegiengebäude I", a building in Art Nouveau style completed in 1909. Famous personalities have lectured in Freiburg, including Heinrich von Treitschke, the political scientist, Martin Heidegger, the philosopher, or Gerhard Ritter, the historian.

Homère et Aristote flanquent l'entrée du bâtiment I du collège, un édifice de style Art Nouveau datant de 1909. Des personnalités célèbres comme par exemple le spécialiste de sciences politiques Heinrich von Treitschke, le philosophe Martin Heidegger ou l'historien Gerhard Ritter enseignèrent en ces lieux.

Idylle im Innenhof der Alten Universität: Mit Einzug der Jesuiten in das Lehrerkollegium im 17. Jahrhundert entstand hier ein Bollwerk des katholischen Glaubens. Außer der Theologischen Fakultät gibt es heute 14 weitere.

Idyllic surroundings in the inner courtyard of the Old University - when the Jesuits took over the teaching posts in the 17th century, they turned it into a bastion of Catholicism. There are now 14 other faculties besides theology.

Cadre idyllique dans la vieille université: lorsque les jésuites se joignirent au corps enseignant, au 17e siècle, se constitua ici un bastion du catholicisme. En plus de la faculté de théologie, l'université en comprend 14 autres.

Das Münster und mehr

Das Wahrzeichen der Stadt, das Münster, gilt als
eines der größten Meisterwerke gotischer Bau-
kunst in Deutschland. Es entstand zwischen 1200
bis 1513. Der 116 Meter hohe Turm ist einer der
wenigen noch im Mittelalter vollendeten Kir-
chentürme. Für die Mühe eines Aufstiegs ent-
schädigt der alte Glockenstuhl mit der Hosanna,
die 1258 gegossen wurde. Im Innern ziehen vor
allem die Madonna, die prachtvollen Glasfenster
aus dem 13. und 14. Jahrhundert und der Hochaltar (1516) die Blicke auf sich.

The city's landmark, the cathedral, is considered
one of the greatest masterpieces of Gothic
architecture in Germany. It was built between
1200 and 1513. The main tower, 116 meters high,
is one of the few church towers completed in the
Middle Ages. A climb to the belfry is rewarded
with a view of the "Hosanna" bell, cast in 1258.
Inside the cathedral itself, your glance will fall
on the statue of the Madonna, the awe-inspiring
stained glass windows from the 13th and 14th
centuries, and the high altar (1516).

La cathédrale, l'emblème de la ville, est consi-
dérée comme l'un des grands chefs-d'oeuvre de
l'architecture gothique en Allemagne. Elle fut
construite entre 1200 et 1513. Sa tour, haute de
116 mètres est l'un des rares clochers à avoir été
terminé au Moyen Age. Les efforts de la montée
seront récompensés par la vue de la cloche
«Hosanna» qui fut fondue en 1258. A l'intérieur
ce sont, avant tout, la Madone, les magnifiques
vitraux des 13 et 14e siècles et le maître-autel de
1516 qui attirent les regards.

Wesentlich später als das Münster (oben eine Gesamt-Innenansicht) ist die Adelhauser Kirche entstanden. Bemerkenswert ist der Hochaltar der vermutlich 1687 von einem französischen Baumeister begonnenen Dominikanerinnen-kirche. Eingerahmt von zwei Seitenaltären kann er vor dem schlichten Weiß des Mauerwerks seine volle Pracht entfalten.

The Adelhauser Church was built much later than the cathedral (inner view above). A striking feature of this Dominican church, started, it is thought, by a French architect in 1687, is the high altar. Framed by two side altars, it unfolds its full splendor against the simple white of the walls.

L'église d'Adelhauser fut construite bien plus tard que la cathédrale (ci-dessus, une vue d'ensemble de l'intérieur). Le maître-autel de l'église des Dominicaines, commencée proba-blement en 1687 par un maître d'oeuvre français est remarquable. Il est flanqué de deux autels latéraux et la simplicité du mur blanc sur lequel il se détache, fait ressortir toute sa splendeur.

Zeuge eines Franziskanerklosters, das auf das Jahr 1246 zurückgeht, ist der heute noch erhaltene Ostflügel des Kreuzganges. Gegründet wurde das Kloster im Anschluß an eine damals schon bestehende Martinskapelle. Historiker gehen davon aus, das diese Kapelle der älteste Kirchenbau Freiburgs war.

A remnant of the Franciscan monastery, which dates back to 1246, is the East Wing of the cloister. The Friary was founded as an annex to the Chapel of St. Martin that already existed at the time. Historians say that the latter was the oldest church building in Freiburg.

L'aile orientale du cloître est le seul vestige du monastère franciscain de 1246. IL fut fondé pour accompagner une chapelle déjà existante et dédiée à Saint Martin. Les historiens sont d'avis que cette chapelle est la plus vieille église de Fribourg.

Die ehemalige Klosterkirche ist heute katholische Pfarrkirche: St. Martin wurde 1944 bis auf den Chor zerstört und bis 1953 zum Teil in Eisenbeton wieder aufgebaut. Wenn auch in ihren Details kein kirchenarchitektonisches Dokument mehr, gilt sie mit den sehr hohen Seitenschiffen als bedeutendes Beispiel der sogenannten Bettelordensarchitektur.

The former chapel of the monastery is now the Catholic parish church. The Chapel of St. Martin was almost completely destroyed in 1944 – the chancel being the only part to survive – but by 1953 it had been rebuilt, this time in reinforced concrete. Even though its details no longer have the same architectural value, the church is considered a major example of so-called mendicant architecture on account of the very high side aisles.

L'ancienne église du monastère est aujourd'hui une église paroissiale catholique. Elle fut détruite en 1944, à l'exception du choeur et sa reconstruction, effectuée partiellement en béton armé, fut terminée en 1953. Bien qu'elle ne constitue plus dans ses détails un document de l'architecture ecclésiastique, elle reste quand même, avec ses hautes nefs latérales, un exemple important de l'architecture des ordres mendiants.

Kunst und Kultur – Museen, die es in sich haben

Über 1000 Besucher finden im Freiburger Stadt-theater Platz, das gern mit kühnen Inszenierun-gen glänzt. Mehrfach gab es schon Einladungen zum Berliner Theatertreffen – für eine regionale Bühne eine seltene Auszeichnung.

More than 1,000 theater-goers can be seated in the Freiburg Municipal Theater, known for the excellence and boldness of its productions. It has been invited several times to the Berlin Theater Festival, a rare honor for a regional theater company.

Le Théâtre Municipal de Fribourg comprend plus de 1000 places. Il brille souvent par ses audacieuses mises en scène et fut déjà invité plusieurs fois à la Rencontre Théâtrale de Berlin – une distinction rare pour une scène régionale.

Wo früher Schüler über ihren Klassenarbeiten schwitzten, macht sich heute die Klassische Moderne breit. Im Gebäude der ehemaligen Adelhauser Schule in der Marienstraße ist seit 1985 das Museum für Neue Kunst zu Hause. Es bietet Exponate auf 800 Quadratmetern Ausstellungsfläche.

Where children used to labor away at their tests, classical modernity now holds sway. Since 1985, the buildings of the former Adelhauser School in Marienstraße have been home to the Museum for New Art. A total of 800 square meters is available for exhibitions.

Jadis les élèves suaient sur leurs devoirs dans ces lieux qui accueillent aujourd'hui les oeuvres classiques de l'art moderne. Le musée des Arts Nouveaux, en effet, a été aménagé en 1985 dans l'ancienne école d'Adelhausen de la Marienstraße. Il dispose de 800 mètres carrés de surface d'exposition.

Magische Masken und Figuren, Waffen und Schmuck beflügeln die Fantasie der Besucher des Museums für Völkerkunde. Im ehemaligen Dominikanerinnenkloster Adelhausen kann man nach Afrika, Asien, Australien, die Südsee oder nach Amerika „reisen" und sich in Zeiten altamerikanischer Hochkulturen zurückversetzen lassen. Das Museum gehört zu den bedeutendsten seiner Art in Südwestdeutschland.

Visitors to the Museum of Ethnology can let their imaginations run wild at the sight of these magical masks and figures, weapons and jewelery. In the former Dominican Convent of Adelhausen, one can now "travel" to Africa, Asia, Australia, the South Seas or to America, and be transported back to the sophisticated cultures of indigenous American peoples. The museum is one of the most significant of its kind in southwest Germany.

Les masques et les statues magiques, les armes, les bijoux donnent des ailes à l'imagination des visiteurs du musée d'ethnologie. Dans l'ancien monastère des Dominicaines d'Adelhausen on peut «voyager» en Afrique, en Asie, en Australie, dans les mers du Sud et en Amérique ou se reporter à l'époque des grandes civilisations précolombiennes. Ce musée est l'un des plus importants de ce genre dans l'Allemagne du sud-ouest.

Hoploscaphites nicoletti
Fox-Hill-Formation, Kreide
Süd-Dakota / USA

Hoplocrioceras

Barremium   Provence

Ancyloceras mather,
Barremium Drôme-F

tein gewordene Botschafter des Lebens auf der
Erde, lange bevor der Mensch die Bühne betrat
das Museum für Naturkunde hütet sie. Neben
ossilien, Edelsteinen und einer Gesteinssamm-
ng aus dem Kaiserstuhl und dem Schwarzwald
ibt es auch Insekten, Schnecken, Muscheln und
ndere einheimische und exotische Tiere zu
ewundern. Die Anfänge der Sammlungen
ehen auf engagierte Zoologen der Freiburger
Jniversität im 19. Jahrhundert zurück.

Petrified ambassadors of life on Earth, dating
back to long before humanity's first appearance,
are in the safe keeping of the Natural History
Museum. In addition to fossils, precious stones
and a collection of geological samples from the
Kaiserstuhl hills and the Black Forest, there are
also insects, snails, mussels and other indigenous
and exotic animals to marvel at. The collections
were started by zoologists at Freiburg University
in the 19th century.

Ces ambassadeurs pétrifiés de la vie sur la terre,
bien antérieurs à l'entrée en scène de l'homme,
sont protégés par le musée des sciences naturel-
les. En plus des fossiles, des pierres précieuses,
des collections de roches provenant du Kaiserstuhl et de la Forêt Noire, on peut aussi admirer
des insectes, des escargots, des coquillages et
autres animaux indigènes et exotiques. Ce sont
des zoologues de l'université de Fribourg, au 19e
siècle, qui commencèrent à établir ces
collections.

Als Schatzkammer Freiburgs gilt das Museum
im ehemaligen, 1278 gegründeten Augustiner-
remiten-Kloster. Die kostbaren Bestände wur-
en zum Teil 1867 aus dem Besitz des Adel-
auser Klosters übernommen. 1923 baute man
ie einfache barocke Anlage um einen gotischen
Kreuzgang zum Museum um; sie beherbergt
eute mittelalterliche bis barocke Kunst der
berrheinischen Region und eine Gemälde-
alerie mit Werken badischer Maler.

The museum in the former Augustinian
monastery, founded in 1278, is considered as
Freiburg's treasure-vault. Part of the priceless
collection was taken over from the estate of the
Adelhauser convent. In 1923, a cloister was
added to the simple baroque buildings and
converted into a museum. It now contains art
from the Upper Rhine regions dating from the
Middle Ages to the baroque era, as well as a
gallery of paintings with works by Baden
painters.

Ce musée, aménagé dans l'ancien monastère des
Ermites Augustins de 1278, est considéré comme
la chambre au trésor de Fribourg. Ses précieuses
collections proviennent du monastère
d'Adelhausen et furent acquises en 1867. Ce
simple complexe baroque, construit autour d'un
cloître gothique, fut transformé en musée en
1923. Il accueille des objets d'art de la région du
haut Rhin, allant du Moyen Age à la période
baroque et une galerie de peintures présentant
des oeuvres de peintres badois.

Wertvolle Schnitzplastiken, Dokumente der oberrheinischen Geschichte von der Karolingerzeit um 800 bis zur Gegenwart, Stickereien, Wandteppiche und liturgische Schriften – das alles wird in der lichtdurchfluteten Atmosphäre der ehemaligen Kirche des Augustiner-Klosters präsentiert. Die 1784 säkularisierte Kirche wurde als einfacher Bettelordenssaal errichtet.

Precious carvings, documents relating to the history of the Upper Rhine from the Carolingian period around 800 to the present, embroidery, tapestries and liturgical scripts – all this is presented in the light-flooded atmosphere in the chapel of the former Augustinian convent. In the course of secularization in 1784, the church was turned into a simple mendicant hall.

Des sculptures précieuses, des documents sur l'histoire du haut Rhin, allant de l'an 800 à nos jours, des broderies, des tapisseries, des écrits liturgiques, tout ceci est présenté dans l'ancienne église du monastère des Augustins, inondée de lumière. Cette église, sécularisée en 1784, fut construite comme simple salle d'ordre mendiant.

erbrechliche Bilder in starken Farben: Eine der ¦deutendsten Glasmalerei-Sammlungen ¦eutschlands wartet im ehemaligen Augustiner- ¦loster auf Bewunderer. Im Kreuzgang können ¦e Werke vom Mittelalter bis zur Gegenwart ¦re ganze Pracht entfalten.

Fragile pictures in vivid colours: one of the most significant collections of glass painting in Germany awaits admirers in the former Augustinian monastery. In the cloister, works from the Middle Ages to the present unfold their splendor.

Images fragiles aux couleurs fortes: l'une des collections de vitraux parmi les plus importantes d'Allemagne attend d'être admirée dans l'ancien monastère des Augustins. Le cloître permet aux oeuvres exposées, datant du Moyen Age à nos jours, de révéler toute leur splendeur.

Wo die Ursprünge Freiburgs liegen, was in den vergangenen Jahrhunderten los war, wer sich hier ein Stelldichein gab – das alles und mehr verrät das Museum für Stadtgeschichte im Wentzingerhaus. Ein Juwel stellt die Münsterbaustelle dar (Mitte), eine Mischung aus Architekturmodell und Zinnfigurendiorama.

The Urban History Museum in the Wentzingerhaus is a mine of information - about Freiburg's origins, events over the past centuries, or famous people who have gathered here. The architect's model of the cathedral (centre) is at once a fascinating diorama of pewter figures, a particular attraction of the museum.

Le musée d'Histoire Municipale dans la Wentzingerhaus vous apprend tout sur les origines d Fribourg: les événements, les rencontres des siècles passés. La Münsterbaustelle (au centre) est un véritable bijou, c'est un mélange de modèle architectural et de diorama de personnages de zinc.

nfang der 80er Jahre entschied der Stadtrat, im olombischlößle ein Museum für Vor- und Früh- schichte einzurichten. Liebevoll präsentierte xponate aus keltischer, römischer und beson- rs aus alemannischer Zeit lassen Alltag und andwerk jener Tage wieder lebendig werden.

The city council decided in the early 1980s to establish a museum for prehistoric and ancient history in the "Colombischlößle". Lovingly presented exhibits provide an insight into everyday and crafts in Celtic, Roman and especially Alemannic times.

Au début des années 80 le conseil municipal décida d'aménager un musée de préhistoire et de proto-histoire dans le château de Colombi- schlößle. Des objets d'origine celtique, romaine et surtout alémanique, présentés avec amour, font revivre la vie quotidienne et l'artisanat de ces jours anciens.

Die maurischen Stilelemente im wunderschön restaurierten Treppenhaus des Schlößchens lassen ahnen, woher seine erste Besitzerin stammte. 1859 ließ eine spanische Gräfin der Familie Colombi die neugotische Villa inmitten einer

The Moorish elements in the beautifully restored staircase of the castle give an inkling of the first owner's origins. In 1859 a Spanish countess from the Colombi family had the neo-Gothic villa built in the midst of a small parkland area. After

Les éléments de style mauresque de la cage d'escalier du petit château, merveilleusement bien restaurée, nous indiquent l'origine de sa première propriétaire. Une comtesse espagnole de la famille de Colombi fit construire, en 1859,

leinen Parkanlage errichten. Nach dem Zwei-
en Weltkrieg diente sie als Sitz der südbadi-
chen Regierung, danach fand der Zivilsenat des
)berlandesgerichts hier bis 1977 eine Unter-
unft.

the Second World War, it served as the govern-
ment building for South Baden, but since 1977
has been occupied by the Civil Division of the
Regional Appeal Court.

cette villa de style néo-gothique, au milieu d'un
petit parc. Après la Deuxième Guerre Mondiale
elle servit de siège au gouvernement du pays de
Bade méridional puis elle accueillit, jusqu'en
1977, le sénat civil du tribunal régional supérieur.

Grüne Oasen vor der Haustür

Der Schneckenreiter sorgt seit 1906 für einen fröhlichen Tupfer im Colombipark. Der Entwurf des Jugendstil-Brunnens stammt vom Karlsruher Bildhauer Konrad Taucher. Auch im blumenreichen Stadtgarten tanken müde Pflasterhelden wieder auf.

The snail-rider has lent a jolly touch to the Colombi park since 1906. The Art Nouveau fountain was designed by Konrad Taucher, a sculptor from Karlsruhe. The sheer abundance of flowers in the Stadtgarten are a welcome sight for the foot-weary.

Ce cavalier montant un escargot, oeuvre de 1906, met une note de gaieté dans le parc de Colombi. Cette fontaine de style Art Nouveau fut réalisée d'après une esquisse du sculpteur de Karlsruhe Konrad Taucher. Dans le jardin municipal aux riches floraisons, les citadins fatigués peuvent reprendre des forces.

Freiburg ist eine Stadt im Grünen – mit idyllischen Flecken an den Ufern der Dreisam oder schönem Ausblick vom 460 Meter hohen Schloßberg. Er trug einmal die Burg der Zähringer Herzöge, deren Geschlecht mit Herzog Bertold V. im Jahr 1218 ausstarb. Von der Burg ist nichts mehr übrig. Heute führt eine Seilbahn auf den Berg zum Schloßberg-Restaurant „Dattler".

Freiburg is a "green" city, with idyllic spots on the banks of the Dreisam, or the beautiful view from the 460-meter Schloßberg. The latter once bore the castle of the Zähringen dukes, the last of whom, Duke Bertold V, died in 1218. Nothing remains of the castle, however. A cable railway leads up the mountain to the Schloßberg Restaurant „Dattler".

Fribourg est une ville dans la verdure – avec ses espaces idylliques sur les rives de la Dreisam ou la belle vue du haut du Schloßberg, haut de 460 mètres. Il était autrefois couronné de la forteresse des ducs de Zähringen dont la lignée s'éteignit en 1218, avec le duc Berthold V. Plus rien ne subsiste de cette forteresse. A présent un téléphérique mène au restaurant du Schloßberg, «Dattler».

Unmöglich, über Freiburg zu sprechen, ohne den Badischen Wein zu erwähnen, der Weltruf genießt (hier Rebstöcke am Schloßberg). Wanderfreunde zieht es auf Freiburgs Hausberg, den 1284 Meter hohen Schauinsland. Der Volksmund nennt ihn „Professor Schauinsland" – und verpaßte auch Feldberg und Kaiserstuhl spitzbübisch diesen Titel, weil die Studenten bei ihnen angeblich mehr Zeit verbringen als hinter ihren Büchern. Wer einmal dort war, versteht warum.

It is impossible to talk about Freiburg without mentioning the wonderful Baden wines, famous the world over (the picture shows a vineyard on the Schloßberg). Hikers are attracted to the 1284-meter Schauinsland mountain just outside Freiburg. In the vernacular, one refers to "Professor Schauinsland" – Feldberg and Kaiserstuhl are given the same title - because students are said to spend more time here than with their books. Anyone who has been there knows why.

Il est impossible de parler de Fribourg sans mentionner le vin de Bade, réputé dans le monde entier (ici les vignobles du Schloßberg). Les randonneurs escaladent volontiers la montagne locale, le Schauinsland, haute de 1284 mètres. En langage populaire on l'appelle avec humour «Professeur Schauinsland», titre accordé également au Feldberg et au Kaiserstuhl parce que les étudiants y passeraient plus de temps que derrière leurs livres. Toute personne qui s'y est déjà promenée comprendra pourquoi.

Chronik

1120
Konrad von Zähringen siegelt die Marktgründungs-urkunde der Stadt Freiburg
1200
Beginn des Münsterbaus
1218
Tod des letzten Zähringer Herzogs, Berthold V.
1246
Erste Erwähnung der Bächle
1303
Erste Erwähnung eines Rathauses, der heutigen „Gerichtslaube"
1368
Die Freiburger Bürger kaufen sich mit 15 000 Mark in Silber von Herrscher Graf Egino III. los und begeben sich in den Schutz des Hauses Habsburg
1457
Erzherzog Albrecht VI. stiftet die Universität
1498
Festlicher Reichstag
1677
Französische Truppen erobern die Stadt und bauen sie zur Festung um
1698
Freiburg wird wieder vorderösterreichisch
1805
Freiburg wird mit dem Breisgau Teil des von Napoleon geschaffenen Großherzogtums Baden
1821
Freiburg wird Bischofssitz
1848/49
Badische Revolution, Preußische Truppen besetzen die Stadt
1944
Ein Luftangriff zerstört die Altstadt
1970
850 Jahr-Feier der Stadt; Kornhaus wiedererrichtet, Fischbrunnen eingeweiht
1978
Fertigstellung der neuen Universitätsbibliothek
1984
Neubau der Staatlichen Hochschule für Musik
1986
Landesgartenschau
1990
Neubau des Landratsamtes
1991
Karlsbau saniert und modernisiert
1996
Konzerthaus eingeweiht

Chronicle

1120
Konrad von Zähringen puts his seal on the document establishing market rights for the City of Freiburg.
1200
Construction of the cathedral begins
1218
Death of Bertold V, Duke of Zähringen
1246
First mention of the Bächle
1303
First mention of a Town Hall, today the „Gerichtslaube"
1368
The citizens of Freiburg purchase their freedom from Count Egino III with 15,000 Marks in silver, and subsequently join the protectorate of the Habsburg dynasty
1457
Archduke Albrecht VI founds the University
1498
The Reichstag (Imperial Diet) is celebrated
1677
French troops conquer the city and turn it into a fortified citadel
1698
Freiburg comes under Austrian rule again
1805
Freiburg and Breisgau become part of the Grand Duchy of Baden created by Napoleon
1821
Freiburg becomes a bishopric
1848/49
The Baden Revolution. Prussian troops occupy the city
1944
The Old Quarter is destroyed in an air raid
1970
The city celebrates its 850th anniversary; the Kornhaus is rebuilt and the Fish Fountain is inaugurated
1978
Completion of the new University Library
1984
The new Conservatory of Music is built
1986
Host to the Federal Garden Show
1990
Work commences on the new Rural District Office buildings
1991
The Karlsbau is renewed and modernized
1996
Inauguration of the new concert hall

Histoire

1120
Konrad von Zähringen scelle l'acte de fondation du marché de la ville de Fribourg
1200
Début de la construction de la cathédrale
1218
Mort de Berthold V, dernier duc de Zähringen
1246
Première mention des «Bächle»
1303
Première mention d'un hôtel de ville, de l'actuelle «Gerichtslaube»
1368
Les habitants de Fribourg se libèrent de l'hégémonie du comte Egino III pour 15 000 Marks d'argent et se placent sous la protection de la maison de Habsbourg
1457
L'archiduc Albrecht VI fonde l'université
1498
Diète d'Empire et ses festivités
1677
Les troupes françaises prennent la ville et la fortifient
1698
Fribourg passe de nouveau aux Habsbourg
1805
Fribourg et le Breisgau font partie du grand-duché de Bade créé par Napoléon
1821
Fribourg devient évêché
1848/49
Révolution badoise. Les troupes prussiennes occupent la ville
1944
Un bombardement détruit la vieille ville
1970
Fêtes du 850e anniversaire; reconstruction de la Kornhaus, inauguration de la fontaine aux Poissons
1978
La nouvelle bibliothèque de l'université est achevée
1984
Construction du nouvel édifice de l'école Supérieure d'Etat de Musique
1986
Exposition Horticole du Land
1990
Nouvel édifice de la sous-préfecture
1991
Le Karlsbau est assaini et modernisé
1996
Inauguration de la salle de concert «Konzerthaus»